Un Diwrnod Gwyntog

Pippa Goodhart

Darluniau gan Amber Cassidy

Trosiad gan Elin Meek

DREF WEN

Cyhoeddwyd yn 2014 gan Wasg y Dref Wen,
28 Ffordd yr Eglwys, Yr Eglwys Newydd,
Caerdydd CF14 2EA, ffôn 029 20617860.
Cyhoeddwyd gyntaf yn y Deyrnas Unedig yn 2014
gan Egmont Children's Books Limited,
239 Kensington High Street, Llundain W8 6SA
dan y teitl One *Windy Day*

Argraffwyd a rhwymwyd yn Singapore.
Cyhoeddwyd gyda chymorth ariannol Cyngor Llyfrau Cymru.

Y Diwrnod Gwyntog

Y Diwrnod Gwlyb

Y Diwrnod Cynnes

I bawb sydd wedi helpu

ar y daith

A. C.

Y Diwrnod Gwyntog

Wwwwps!

'Am ddiwrnod gwyntog!' meddai Miss Ffedog wrth hongian ei golch ar y lein. Wwwps! Hedfanodd un hosan i ffwrdd,

a dwy arall!

I ffwrdd â'r sanau ar y gwynt.

Hedfanon nhw draw i'r goedwig.

Glaniodd un ar y Wiwer. Fflap!

Glaniodd un ar y Llygoden.

Fflop!

‘Dyma’n union sydd ei angen arna i!’

meddai’r Wiwer.

‘Het.’

‘Sach gysgu i ’nghadw i’n gynnes!’

meddai’r Llygoden.

Chwythodd y gwynt, a chwythu, a …

Chwythodd rhagor o olch Miss

Ffedog oddi ar y lein.

I ffwrdd â'r cyfan i'r goedwig.

Edrych arna i!

Dwi'n gynnes braf!

Aeth hi'n dywyll. Chwythodd y gwynt o dan ddrws Miss Ffedog.

Wwiiw!

Roedd Miss Ffedog yn oer heb ei blanced. Crynu, crynu.

Ond roedd yr
anifeiliaid a'r adar yn
gynnes braf yn y goeden
fawr, oddi tani ac arni.

WWIIWW! Chwythodd y gwynt yn gryfach.

Dechreuodd y goeden fawr wichian.

Gwich GWICH CRASIO-CWYMPO.

Cwympodd y goeden!

O, na!

Nawr does dim cartref 'da ni!

Aeth y Llygoden a'r Wiwer a'r

Gwdihŵ a'r Cadno lan y bryn.

Cnoc, cnoc!

Cyn hir doedd neb yn oer.

Y Diwrnod Gwlyb

Diferu-diferu!

Roedd hi'n ddiwrnod gwlyb y tu allan a'r tu mewn i dŷ Miss Ffedog.

‘O na, mae twll yn y to!’ meddai Miss Ffedog.

Crash!

Cwympodd darn o’r to i’r llawr.

Diferu-diferu-diferu!

‘Does gen i ddim digon o arian i dalu adeiladwr i’w gywiro!’ meddai Miss Ffedog. ‘Nawr does dim lle i mi fyw!’

‘Peidiwch â phoeni,’ meddai’r Cadno. ‘Fe awn ni i gyd ati a’ch helpu i gael arian i dalu am do newydd. Fe helpoch chi ni, ac fe helpwn ni chi.’

Gwnawn,
wir!

‘Fe allwn ni werthu pethau,’

meddai’r Gwdihŵ.

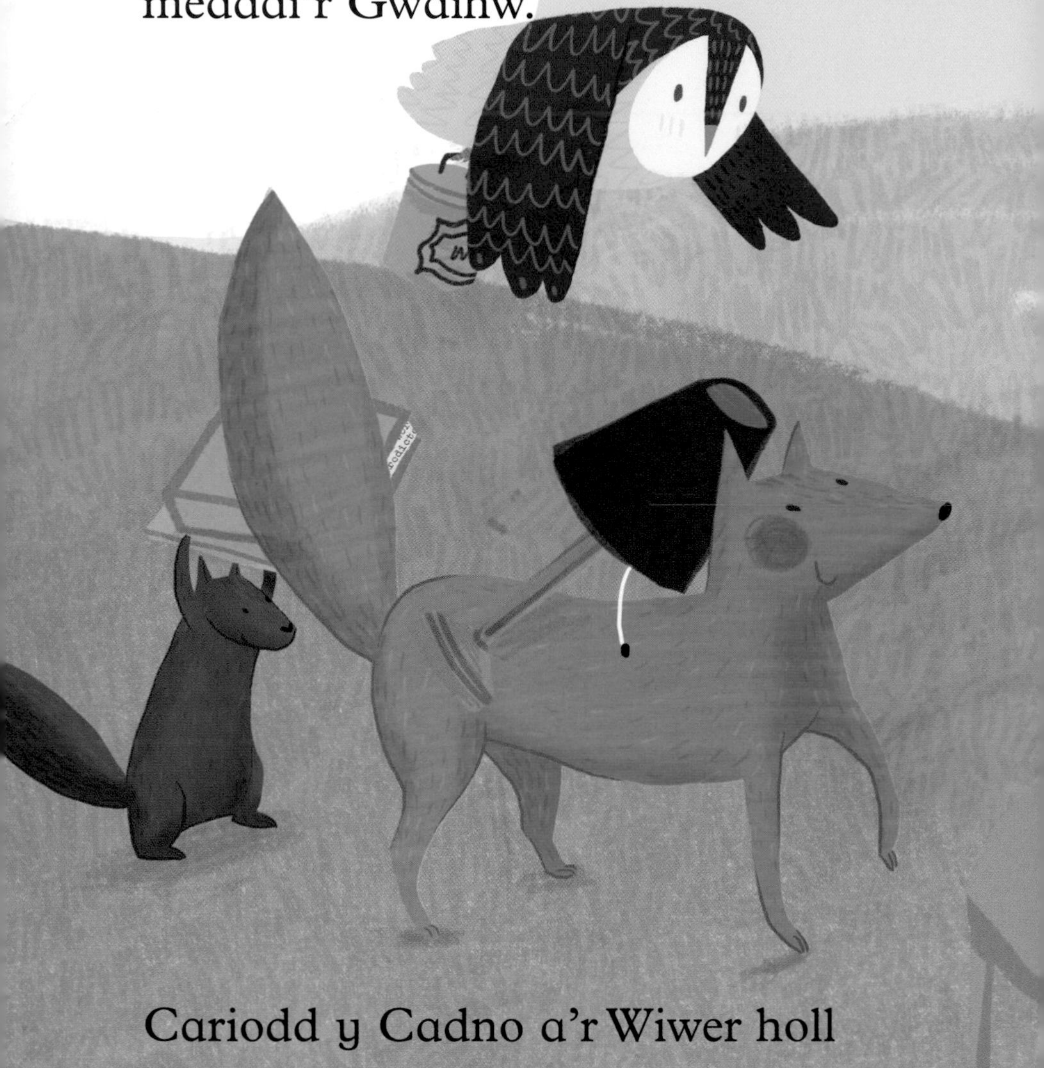

Cariodd y Cadno a’r Wiwer holl

ddodrefn Miss Ffedog y tu allan.

Gwnaeth y Llygoden arwydd.

Doedd neb eisiau prynu dim.

Hoffech chi brynu'r gadair hon?

Na hoffwn. Mae hi wedi torri!

‘Mae popeth yn edrych yn rhy anniben,’ meddai Miss Ffedog.

‘Peidiwch â phoeni,’ meddai’r Wiwer. ‘Fe wnawn ni i bopeth edrych yn well.’

Aeth y Llygoden a'r Wiwer a'r

Gwdihŵ ati'n brysur.

Cyn hir roedd pawb eisiau prynu pethau. Roedd digon o arian gan Miss Ffedog i dalu'r adeiladwr.

Roedd digon o arian ar ôl i dalu

am fyns i de, hyd yn oed.

Y Diwrnod Cynnes

Roedd tŷ hyfryd gan Miss Ffedog
a'r Llygoden a'r Gwdihŵ a'r Cadno
a'r Wiwer i fyw ynddo.

Ond tŷ gwag oedd e.

Ar beth allwn

ni eistedd?

‘Rhaid i ni wneud dodrefn newydd,’ meddai Miss Ffedog. ‘Mae gen i syniad. Dilynwch fi!’

Casglodd Miss Ffedog rai offer.

I ffwrdd â nhw i'r goedwig.

‘Fe drown ni eich hen gartref chi yn bethau i’n cartref newydd ni,’ meddai Miss Ffedog wrth yr anifeiliaid.

Aeth pawb ati'n brysur eto.

Gwnaeth y Cadno bowlenni a chwpanau.

Torrodd Miss Ffedog foncyff i wneud bwrdd a stolion.

Gwenodd yr haul, a

chanodd Miss Ffedog.

Llifio
llifio, i
gael
dodrefn
eto!

Gwnaeth y Wiwer a’r Llygoden

hamogau i gysgu ynddyn nhw.

Gwnaeth y Gwdihŵ ysgub i

ysgubo'r tŷ'n lân.

Rhoddodd Miss Ffedog bridd mewn potyn.

Yna rhoddodd rywbeth arall ynddo.

‘Hedyn yw hi. Mae angen pridd a dŵr a heulwen arni, ac yna fe fydd yn tyfu’n goeden newydd,’ meddai Miss Ffedog. ‘Fe blannwn ni hi yn y goedwig lle roedd eich hen goeden chi.’

Ar ôl clywed hynny, roedd y Llygoden a'r Cadno a'r Gwdihŵ a'r Wiwer a'r adar a'r anifeiliaid i gyd wrth eu boddau.

Ac roedd Miss Ffedog wrth ei bodd hefyd.